愛思考的
貓巧可
節慶禮物書
貓巧可
新年快樂
文 王淑芬
圖 尤淑瑜

故事
貓巧可的
新年新希望
4

故事想想
貓巧可的
新年想一想
18

動手作
小天使貓巧可
20

貓巧可新年賀卡
22

新年快到了，貓咪小學居然在新年前，來了一位新同學貓小乖。全班熱情的拍手，好奇的看著新同學。

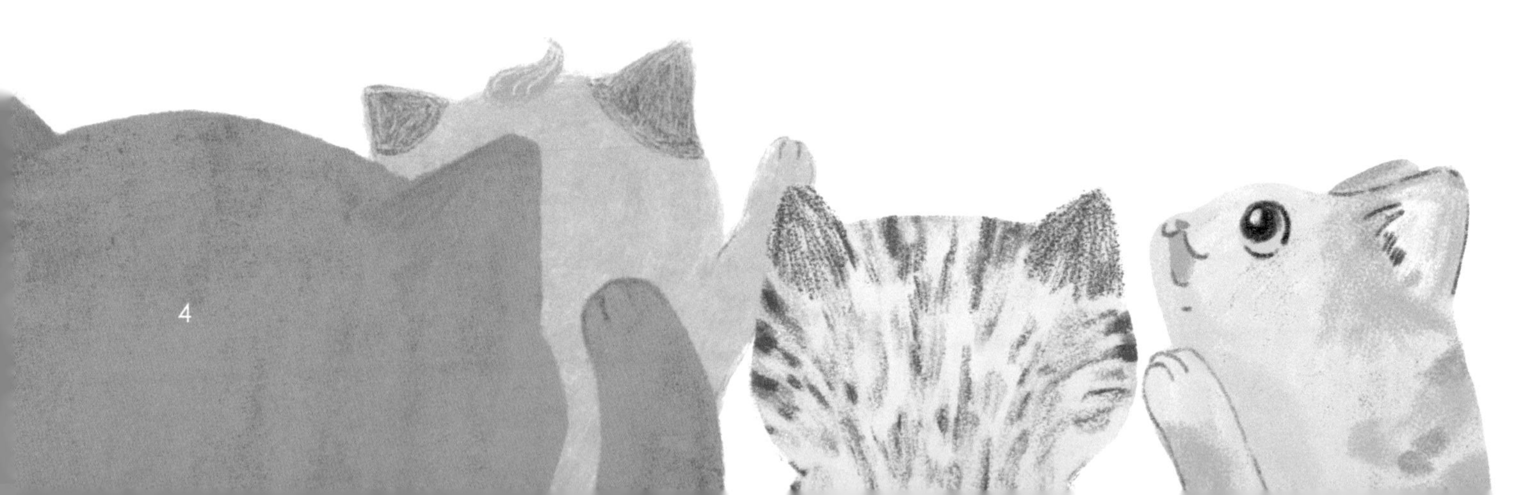

貓咪老師請貓巧可幫助貓小乖認識新環境，所以，到了午餐時間，他們一起到學校的大樹下用餐，準備飯後在校園散步。

「哇！是蟑螂麵包，看起來好好吃。」貓小乖羨慕的看著貓巧可的午餐，那是巧可的媽媽前一晚烤的。

「貓小乖，你的午餐是什麼？」

貓小乖笑了笑，說：「我不餓，不必吃。」

貓巧可把香噴噴的麵包，分成兩半，分給眼前這位剛剛認識的新朋友。

沒想到接下來幾天，貓小乖又沒帶午餐，貓巧可只好將午餐分一半給他。

這一天上學前，貓巧可要求媽媽：「請幫我多準備一份午餐。」貓小花與貓小葉在門口聽見了，笑著說：「貓巧可，原來你是大胃王。」

「不是的。」貓巧可把原因告訴小花與小葉。

貓小花聽了，拍拍貓巧可的頭：「原來你是懂得照顧別人的小天使。」貓小葉伸出兩隻手，學小天使拍拍翅膀飛飛的樣子。

可是，為什麼貓小乖的媽媽不幫他準備午餐呢？

貓小葉小聲的說：「貓小乖有家人吧？」

他們利用下課時間去問貓小乖。

結果，貓小乖的答案讓三個人嚇一跳：「我家啊，只有一個字可以形容，就是『擠』。」

擠？

「沒錯。」貓小乖一面吃著貓巧可帶來的牛奶糖，一面計算著：「爺爺、奶奶、外婆、爸爸、媽媽、大姐、大哥、二哥……」

貓小乖家裡，一共住了十二個人，果然很擠。

「為什麼你的媽媽沒有幫你準備午餐？」貓小葉問。

誰知道，貓小乖居然說：「我媽媽烤的麵包，又軟又硬，一個字：難吃。」

「『難吃』是兩個字。」貓小葉忍不住糾正。又問：「怎麼可能有麵包又軟又硬？而且，就算不好吃，總比餓肚子好吧？」

貓小乖搖頭，大喊：「不不不！我寧可挨餓，也不吃難以下嚥的東西。這是我的新年新希望。」

再過幾天就是新年，剛才，老師要大家想想：「新的一年，有什麼新希望？」老師還請大家輪流上臺，說一句跟過年有關的祝賀。

貓小花的吉祥話是：「祝大家心花朵朵開，老師不會老花眼。」

貓小葉則是：「祝大家寫功課時不會粗枝大葉，要小心。」

貓巧可則說：「祝福同學們做事熟能生巧，結果可喜可賀。」

老師也說了一句過年吉祥話：「萬事如意，歲歲平安。」

貓小花問貓小乖：「你寧可挨餓，可是餓肚子就不能歲歲平安了。」

貓巧可想了想，說：「小乖的新希望，是希望自己成為有原則的人。」可是，這種原則是對還是錯？餓到肚子痛，也沒關係嗎？

貓小花的看法是：「每個人想要怎麼做，只要不影響別人，都跟我無關。」

貓小葉卻搖搖頭，說：「可是，貓小乖的媽媽看到自己的小孩肚子餓，會心疼想哭。小乖的原則，跟他的媽媽有關啊。」

貓小乖聽了，忽然又改變決定：「你們想的太多了，只有一個字可以形容：麻煩。好啦好啦，以後我願意吃又軟又硬的麵包。」

貓小葉抗議：「『麻煩』是兩個字。」

「你們的新年新希望又是什麼？」貓小乖問大家。

貓小花說：「我要天天練鋼琴，希望可以上臺表演。」

貓小葉則是：「我希望快點長大，可以到許多地方旅行。」小葉的這個新希望讓他很開心，頭上長出一片大大的葉子。

貓巧可的新年新希望又是什麼？

「我知道！」貓小花大聲回答。「貓巧可一定又跟去年一樣，希望自己能讀更多書，懂更多、想更多，才有能力幫助更多人。」

貓小乖拍拍手，眼睛張得好大：「貓巧可這個新年新希望，只有一個字可以形容啊！」

貓巧可的新年想一想

自己想要怎麼做，而且一直都這樣做，叫做「原則」。比如，絕對不買含有色素的零食，就算再怎麼想吃，也不買，這就是原則；或是，每天放學一定先做完功課再玩，就算那一天有新玩具、很想立刻玩，也會忍住，這樣也是個有原則的人。

有好的原則，就是建立一個好習慣，能幫助自己練習自我克制。萬一遇見不好的狀況，越有原則，越不會被影響。

不過，原則也必須有彈性，可以適度調整。

比如，平常貓巧可的媽媽訂下一個原則：每晚九點一定要上床睡覺。但是新年那一天，巧可媽媽會說：「今晚例外，可以晚點睡。大家來聊聊自己的新年新希望。」於是，全家度過一個聊得很開心的新年之夜。

你的新年，想建立什麼好的原則嗎？或是，新的一年，最希望的願望是什麼？

再想想，雖然平時也可以許下新的願望，但是在新年許願，特別有意義，這是為什麼呢？

動手做

小天使貓巧可

跟著影片
輕鬆完成

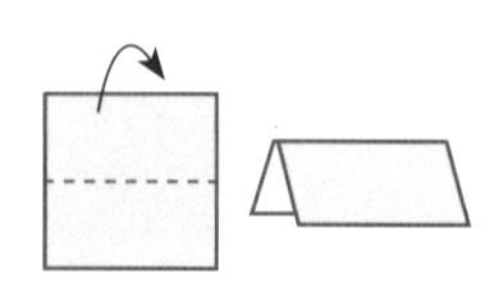

山線

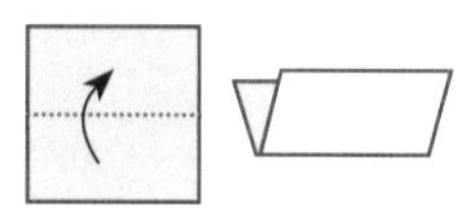

谷線

1

撕下圖樣。

2

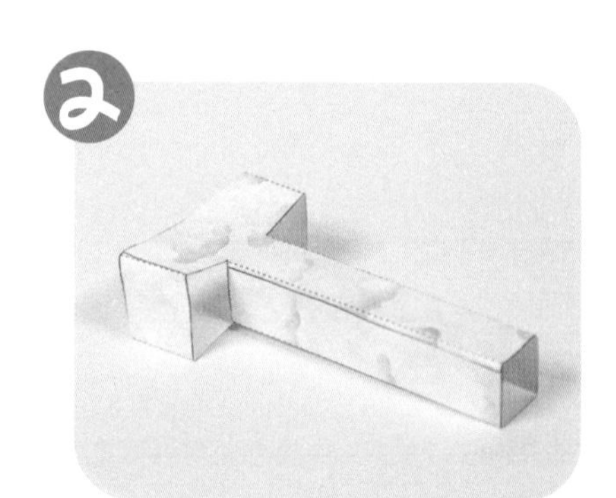

組裝T型盒。在寫著「貼」的區塊塗膠。

3

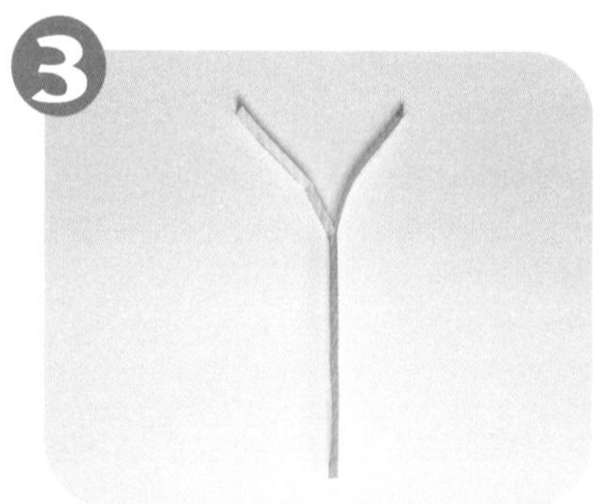

操作桿底部對摺貼合，如圖呈Y字形。

4

操作桿穿入T型盒，Y字形兩端分別貼在盒子內側，上方呈現尖尖的耳朵形狀。

5

翅膀貼在操作桿耳朵的凹陷處。

6

將貓巧可身體最寬的地方，貼在T型盒的 — 上。

7

將一手握住T型盒，一手拉動操作桿，就可以揮動啦！

8

撕下圖樣，重複 2 ~ 7 的步驟。

9

完成！

動手也動腦

能懂得照顧別人、幫助別人，就像是長著翅膀的小天使。你身邊有和小天使一樣的人嗎？你也是一位善良的小天使嗎？

動手做

貓巧可新年賀卡

1. 撕下圖樣。

2. B的左右紅線處往上摺。

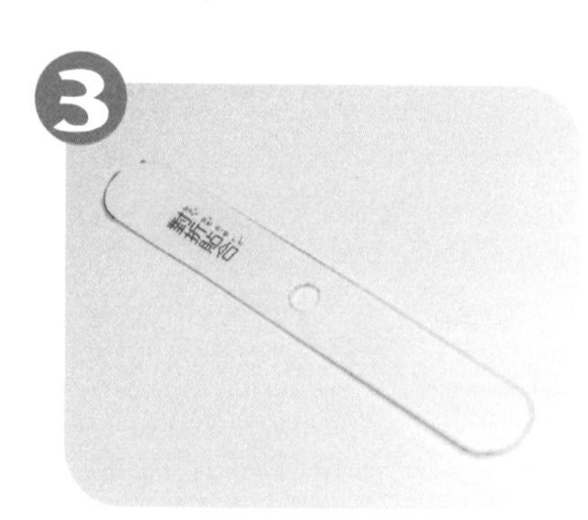

3. 將A對折後貼合。

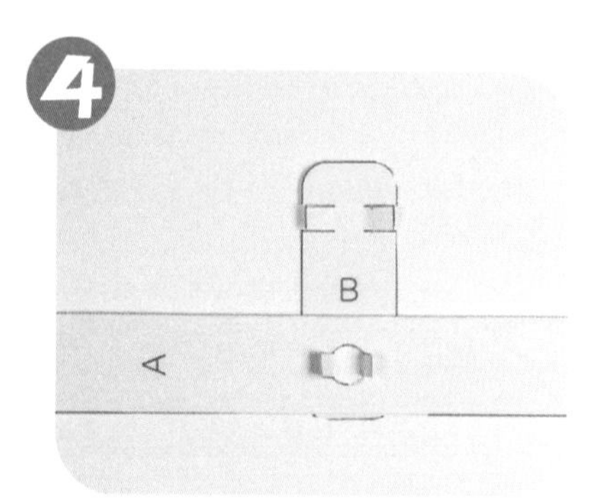

4. 將B下方的紅線兩端，穿出A的圓孔外。

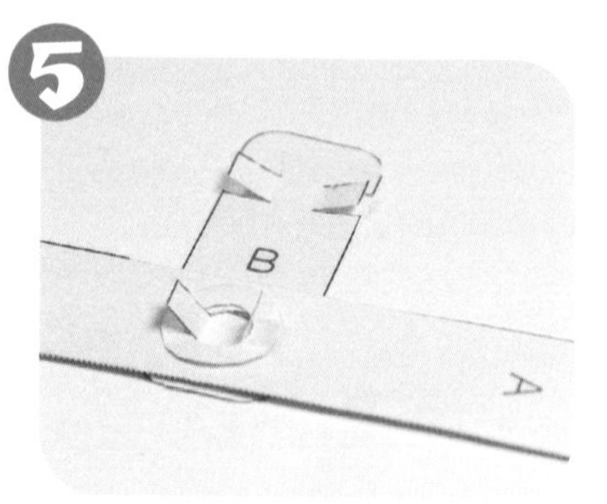

5. 套入紙圈後，將兩條紅線壓平。

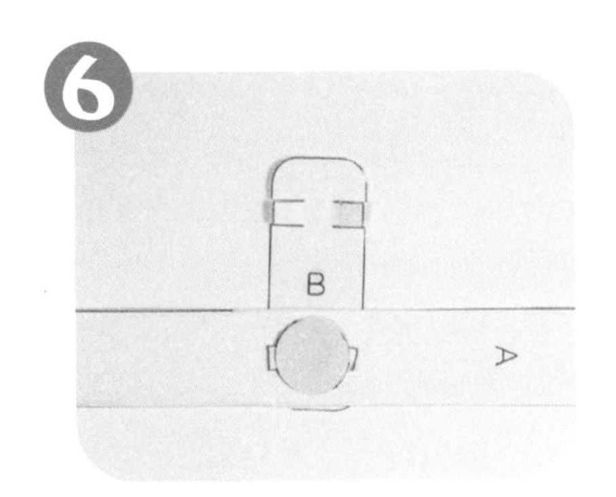

在藍圓點的背面塗膠後，貼在紙圈上。

膠水容易溢出，導致圓孔周圍被黏住，建議使用口紅膠，較容易成功喔！

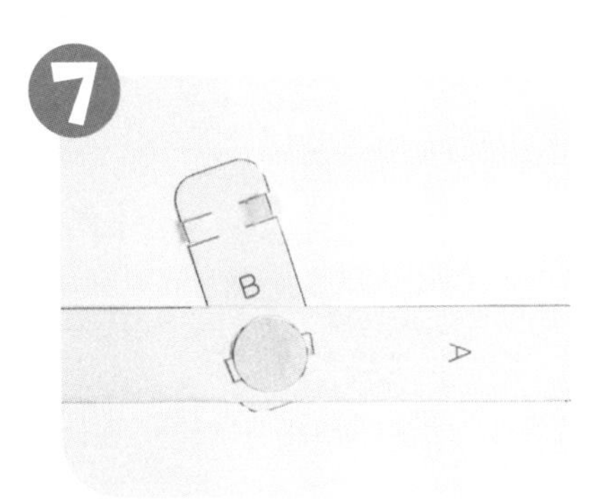

試試兩張拉桿是否能轉動。

將B上方的紅線兩端穿出卡片的圓孔外。

套入紙圈後，將兩條紅線壓平。

在藍圓點的背面塗膠，貼在紙圈上。

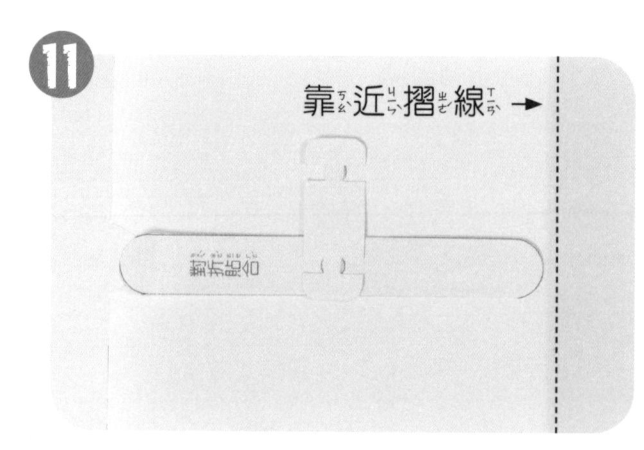

翻至背面，將 A 調整在卡片缺口處。A 呈水平直線，且 A 尾端靠近卡片的中間摺線處。

在 C 的上面塗膠後，貼在 A 的上與下。方便 A 左右移動。

卡片翻至正面，在藍圓點塗膠，貼上頭部。

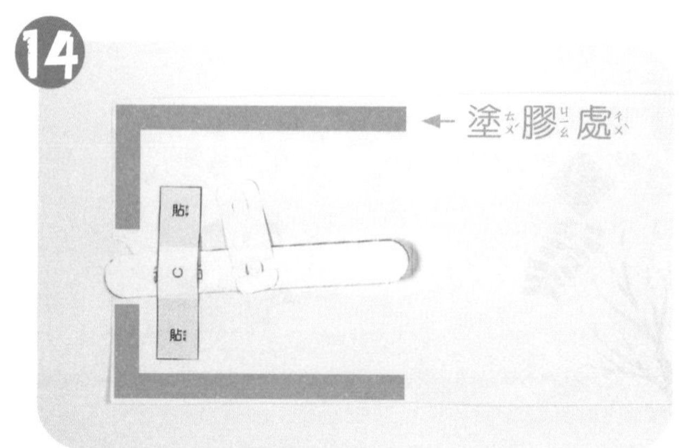

卡片對折後，三邊貼合，留意 A 桿移動處不可被貼住。

15

拉動A，頭部會搖擺。

16

撕下圖樣，重複 9 ~ 14 的步驟。

17 完成！

動手也動腦

貓巧可的新年新希望是讀更多、想更多。喜歡動腦思考的貓巧可，很像你身邊的哪個人？你希望自己也像貓巧可一樣嗎？

動手也動腦

寫下你的想法！

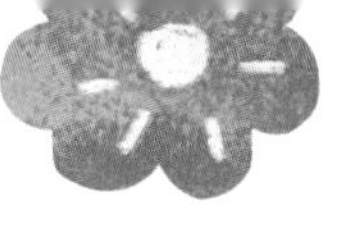

國家圖書館出版品預行編目（CIP）資料

愛思考的貓巧可 節慶禮物書：貓巧可新年快樂 /
王淑芬文；尤淑瑜圖. -- 第一版. -- 臺北市：親子
天下股份有限公司，2021.12
28 面；21.5*24.5 公分
注音版
ISBN 978-626-305-116-4（平裝）

863.596 110018568

愛思考的貓巧可：節慶禮物書

貓巧可新年快樂

文・手作紙卡設計｜王淑芬 圖｜尤淑瑜

責任編輯｜張佑旭 美術設計｜韋田工作室 封面設計｜曾偉婷 行銷企劃｜王予農
天下雜誌群創辦人｜殷允芃 董事長兼執行長｜何琦瑜
兒童產品事業群
副總經理｜林彥傑 總監｜黃雅妮 版權專員｜何晨瑋、黃微真

出版者｜親子天下股份有限公司 地址｜台北市 104 建國北路一段 96 號 4 樓
電話｜（02）2509-2800 傳真｜（02）2509-2462 網址｜www.parenting.com.tw
讀者服務專線｜（02）2662-0332 週一～週五：09:00~17:30
傳真｜（02）2662-6048 客服信箱｜bill@cw.com.tw
法律顧問｜台英國際商務法律事務所・羅明通律師
製版印刷｜中原造像股份有限公司
總經銷｜大和圖書有限公司 電話：（02）8990-2588

出版日期｜2021 年 12 月第一版第一次印行
定價｜250 元 書號｜BKKP0288P ISBN｜978-626-305-116-4（平裝）

訂購服務
親子天下 Shopping｜shopping.parenting.com.tw
海外・大量訂購｜parenting@cw.com.tw
書香花園｜台北市建國北路二段 6 巷 11 號 電話（02）2506-1635
劃撥帳號｜50331356 親子天下股份有限公司

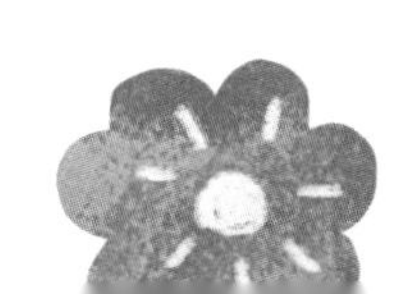

山線
谷線
貼
貼
貼

山線
谷線
貼
貼
貼

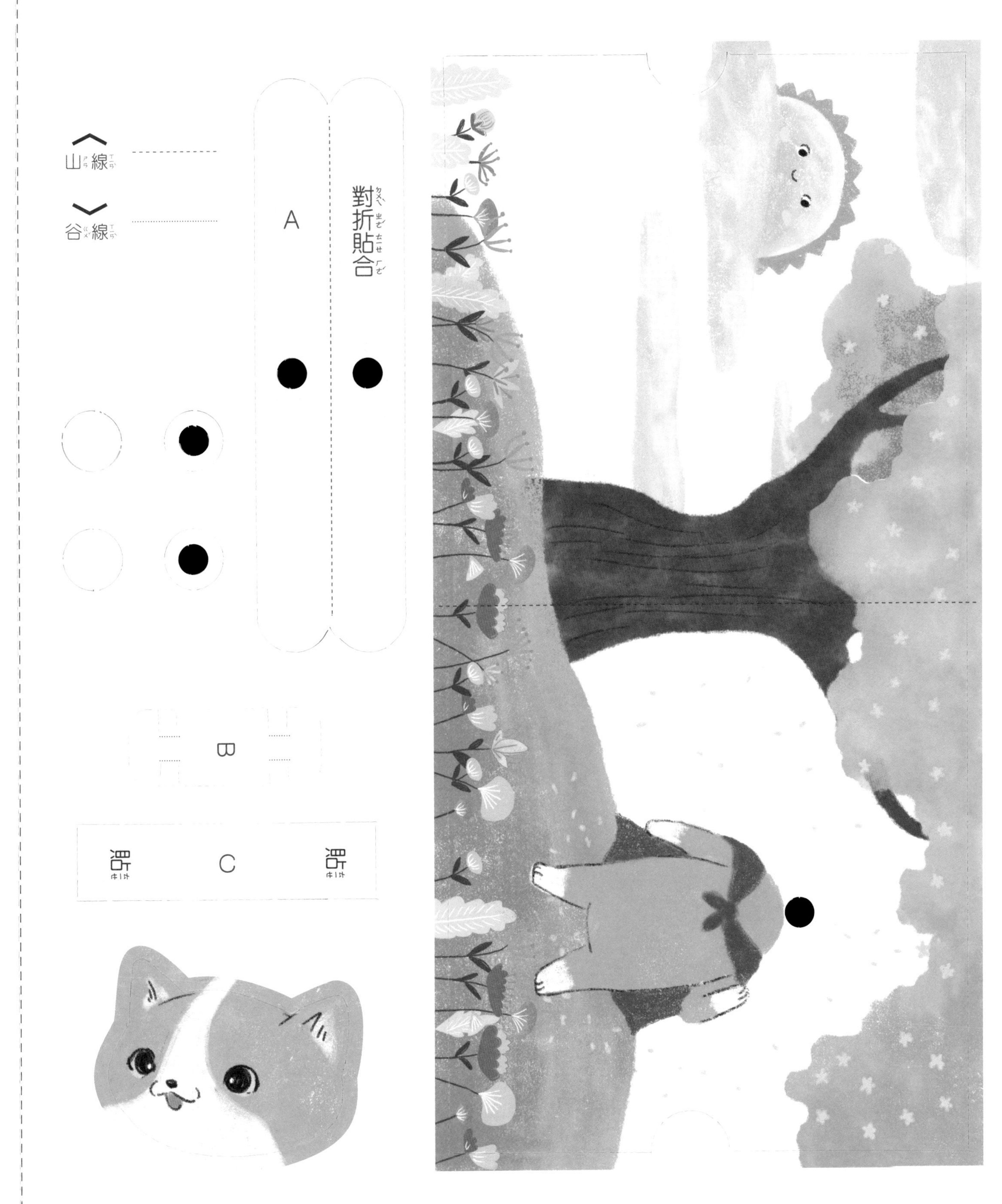
山線
谷線
A
對折貼合
B
C
貼
貼

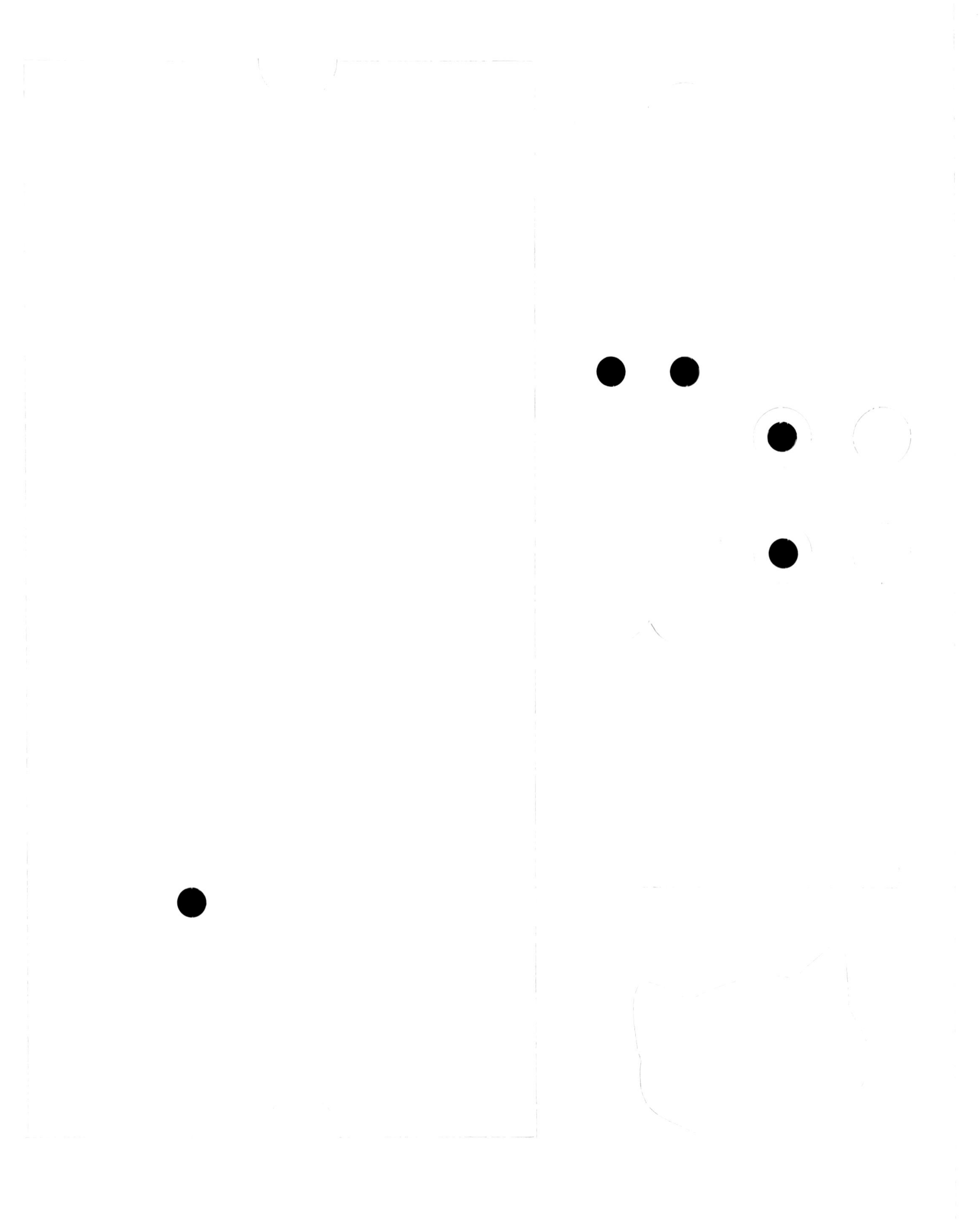

山線
谷線
A
對折貼合
B
C
貼
貼
春

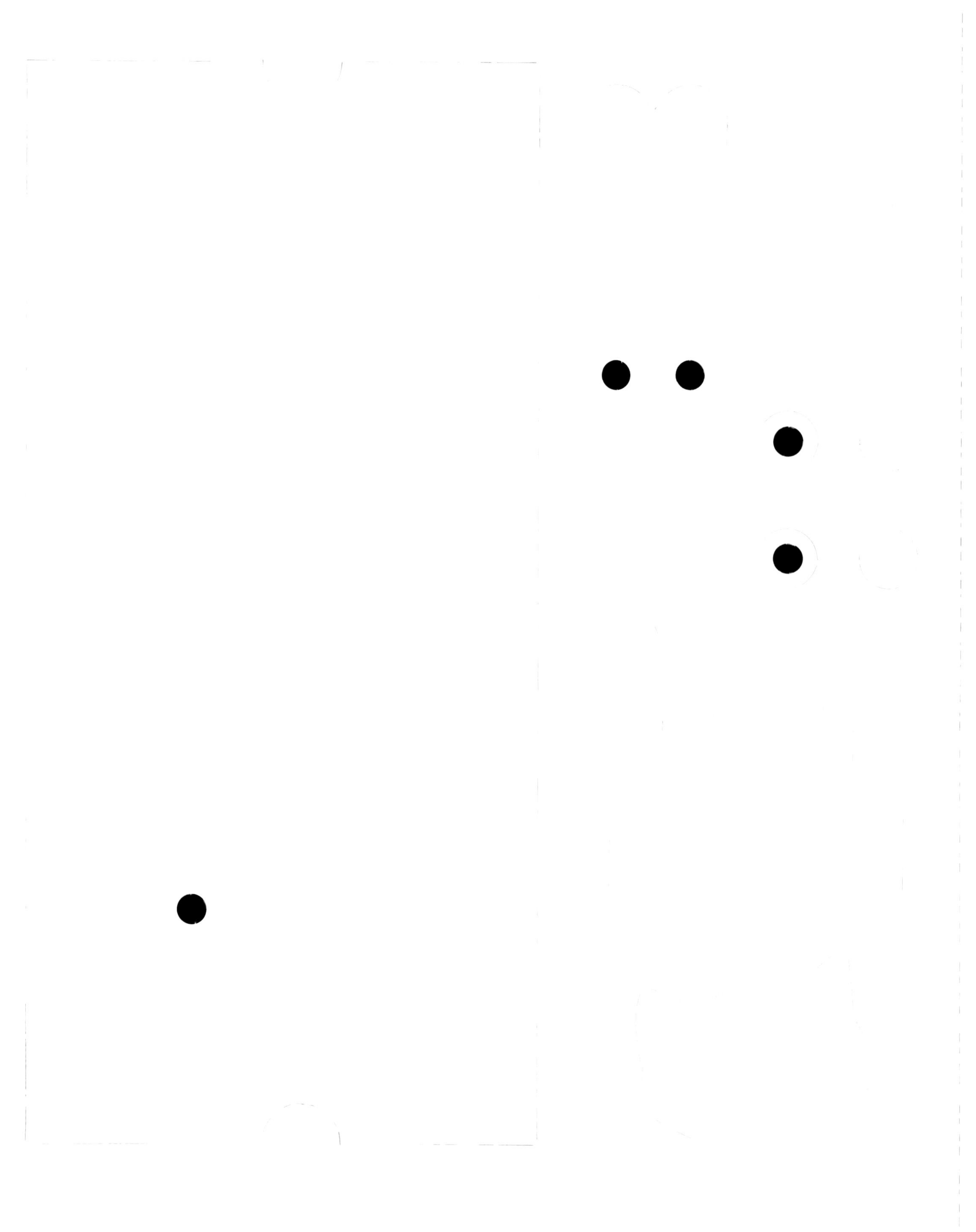